떠나려는 모든 이들에게

이다연 지음

KB075575

떠나려는 모든 이들에게

이다연
단편시집

떠나려는 모든 이들에게

발　행 | 2024년 02월 14일
저　자 | 이다연
펴낸이 | 한건희
펴낸곳 | 주식회사 부크크
출판사등록 | 2014.07.15.(제2014-16호)
주　　소 | 서울특별시 금천구 가산디지털1로 119 SK
트윈타워 A동 305호
전　화 | 1670-8316
이메일 | info@bookk.co.kr

ISBN | 979-11-410-7183-7

2023년~ 2024년 겨울 날.

15살.

청춘을 곱씹으며

당신을 떠올리며 글을 쓸 땐
어떠한 말로 나의 글을 시작해야 할지
참 막막하곤 합니다

삼킨 것이 내려가지 못한 채 목구멍에 머물고
하늘로 던진 돌이 자리를 찾지 못한 채 떠 있는
그런 기묘한 감정 속에 사는 요즘입니다

이렇게 나의 마음을 헤아리지 못할 땐
사랑에 온도가 있으면 좋겠다는
막연한 생각을 하곤 합니다

모두들 사랑은 따뜻하고들 하나
바보 같은 나의 사랑은
그대를 생각하며 차가워지고 있으니 말입니다

이상하지요
분명 그대를 떠올리면
사랑한다 비명 지르는 그것이
이리도 차가우니 말입니다

그럼 나의 청춘을 담았던
나의 사랑은
따뜻한 사랑이 아니었던 것일까요

터무니 없는 말이지요
내 모든 것을 바쳐
그려낸 나의 사랑이
사실은 차가웠다니 말입니다

하지만 전 분명히 기억합니다
머리가 아닌 나의 가슴으로
당신과의 따뜻했던 온도를
기억하고
곱씹고 있습니다

그렇다면 나의 사랑은
어찌 이리 차가울 수 있는 걸까요

당신과 함께한 계절이
겨울이었기 때문일까요

몹시 추운 날
당신에게 속삭였던

따뜻한 사랑 때문일까요
아니면
멀어지는 당신에게
끝내 전하지 못한
따뜻한 손난로 때문일까요

아 마침 보이네요
그날 끝내 전하지 못한 손난로
몹시도 차가워져 버린
나의 사랑이 말입니다

굉장히 딱딱하네요
차갑고
공허합니다
...

아 그런가요

이젠 마음껏 당신을 떠올리며
글을 써 내려갈 수 있을 것 같습니다

따뜻했던 것은
차갑게 식어도

그 온도를
영원토록 곱씹는 것이겠지요

그 당연한 것을
이제야 깨닫게 되었습니다

사랑을 속삭인
그 눈엔
아직 나의 따뜻함이 숨 쉬고 있다는 것을 말입니다.

사랑을 정의하며

사랑이 예쁘고 아름다운 단어로만
표현할 수 있는 말이었다면

나의 사랑은 추운 겨울이 아닌
따뜻한 봄날로 기억되었을까요

그럴 수는 없겠지요
나의 사랑은 변덕이 심하니까요

저는 매일 다른 이유로 당신을 사랑했고
어떤 날엔 다른 사람을 마음에 품었으며
도 어떤 날엔 당신을 싫어해야만 하는
이유를 찾았습니다

그래요
다 제가 그렇게 만든 것이겠지요

당신이 속절없이 내리는 눈을
하염없이 맞고 있을 때
말없이 곁을 지키 잘못일 수도

녹아가는 눈사람처럼
형체를 잃어가는 당신에게
목도리를 둘러준 잘못일 수도

생각이 너무 많아
생각이 나질 않는 밤이네요

이런 혼잡한 밤이면
저는 헝클어진 머리를 붙잡고
지나간 추억들을 곱씹어 봅니다

우연인 듯 운명인 듯
당신에게 이끌렸던 첫 만남

내 마음속 가장 깊은 자리에
당신을 넣어두었던 그날

내 숱한 감정을 들키기 싫어
몸부림치는 지금까지

저는 정말로
당신을 사랑하고 있나 봅니다

할 수만 있다면
저는 당신과의 봄만을

기억하고 싶습니다

춥고 외로운 겨울 따위를 기억하며
나 자신을 상처 입히고 싶지 않습니다

하지만 어쩌겠습니까

당신과 함께한
추운 겨울도, 따뜻한 봄도
우리의 사랑을 기억하고 있는데 말입니다

기억이라
과연 기억이라 정의하는 것이 맞을까요

기억인지 추억인지
혹은 미련인지조차 구분이 되지 않는
저의 마음인데 말입니다

기억은
깊고 짙은 바다에 담그는

나의 작은 손

추억은
담가본 손으로
이따금 꺼내어 보는
작은 꽃 한 송이

미련은 차갑고 쓰린 바다에
던져지는
나의 작은 몸

이왕이면
추억이었으면 좋겠습니다

그렇게 추억이라 되새기며
차가운 바다에 몸을 맡겨봅니다.

고해

시간의 야속함을 원망한다

모든 자연 만물의 근원의 순환이 기이하며
이미 시들어버려
옅은 내음에서 마저 구역질이 나오는 꽃이 밉다

어째서 벼는 고개를 빳빳이 들었었나

태양의 따가운 햇살의 자만인가
오직 나만을 비출 리가 없을 터인데
여전히 벼는 빳빳이 고개를 들고있나

해바라기의 눈은 멀어있나

닿을 수 없는 광녀의 흐름
손끝 하나 스칠 수 없는 빛의 잔혹함
해바라기의 눈은 어떤 사랑을 하고 있나

갑을 찾지 못한 물음에
벼는 고개를 끄덕였으며
해바라기는 그저 바라보기만,

자만했던 나의 고개야
미련했던 나의 눈동자야

목 끝까지 올라오는 역겨움에
사랑을 고해.

붉은 선혈

널 향한 감정은 되려
끝없는 애정 갈구와
자기혐오의 화살이 되어 돌아온다

화살을 피할 수 있었음에도
난 피하지 않았다

고통으로나마
널 그리기 위해

박힌 화살을 타고 흐르는
붉은 선혈로
널 그리고
또 그린다.

동충하초

사랑을 하였습니다

어리석게도 전
내 모든 벽을 뚫고
가장 깊은 마음의 벽까지 들어온 그에게
나의 모든 것을 바쳤습니다

그렇게 많은 세월을 보내고
나의 마음을 양분 삼아 키워낸 나무는
어느 날 뿌리째 뽑히게 되었습니다

우리의 사랑을 본뜬 상처만 남긴 채,

우리의 사랑을 닮은 상처는
그 어떤 것으로도 채워지지 않았고
나의 마음은 자연스레
새로운 뿌리를 갈구하였습니다

그렇게 남은 상처가 굳어
역겨운 냄새를 풍긴 채
시체가 되어갈 무렵

사랑은 또 나의 마음의 문을 두드렸습니다

그는 비어있는 나의 상처에
자신의 뿌리를 넣어 채워주었고
그제야
난 나라는 존재를 곱씹을 수 있게 되었습니다

그와 함께하며 몸은 어딘가
바뀌어가는 것을 느꼈지만
행복했습니다
그의 뿌리가 깊숙이 박혀있기에

이젠 눈이 감기며
그의 형체만을 기억하네요
이것이 진정한 사랑일까요

그럴 리가 있겠습니까

그가 찾아왔을 때부터
사실은 알고 있었습니다

나의 사랑은
마음속에 피어나는

한 송이 예쁜 꽃 같은 게 아니라는 것을

내 마음속 가장 깊은 곳에 자리 잡아
내 마음의 일부를 좀먹으며 자라는 것이
나의 사랑이라는 것을

그렇게 뽑고 뽑히며
자라고 심어진 나의 나무는
나의 형체를 유지할 수 없었습니다

아
눈이 감기네요
내 모든 것을 바친 여름의 사랑
시들어 가는 겨울.

노을을 바라보며

해기 저물지 않으면 했습니다

달이 무서웠기에

나를 비추다가도
눈을 뜨고 나면 찾아오는 아픔을
견디고 싶지 않았습니다

달은 참 애석하지요

외면하려 눈 돌리며 달아나
이쯤 되면 괜찮겠지 하면 되돌아보면
다시금 나를 비추고 있으니 말입니다

매일매일의 밤을
당신으로 채우는 일상을

당신은 일찌감치 느끼고 있었겠지요

아무래도
저의 달은 당신보다

조금 더 빨리 뜬 것 같네요
날씨가 많이 추워졌네요
해가 짧아진 요즘
전 그 찰나의 노을을 보곤 합니다

해가 저물며 달이 서서히 떠가는
그 황홀한 풍경은
쓰리듯이 아름다워
눈을 뗄 수 없으니 말이죠

지고서야 아름다운 것
그것이 우리의 사랑인가요

전 아니라고 생각합니다

서로의 사랑에 감탄하며
나누던 찰나의 입맞춤도

사소한 다툼에 아파했던
사랑스런 지난날들도

끝끝내 잡지 못해

보내버린 당신의 뒷모습도

전부 제가 버리지 못하는
소중한 사랑이니까요

노을을 사랑하는 것은
그것을 추억한다는 것이겠지요

결국 전 달을 피해 도망친 것이 아닌가 봅니다

어디로 달아나도 당신이 있기에
저는 그 달빛으로나마
당신을 마주할 수 있는 것이겠지요

오늘 밤 달이 무척이나 아름답네요
눈이 부시게도.

계절

난 무엇을 사랑했었나

수줍듯 웃는 당신의 미소일까
사랑스럽다는 듯
쳐다보는 눈동자일까

당신과의 계절이 흐를수록
선명해지는 나의 사랑에
쓰리고 짙은 밤을 견뎌내었고

당신이 없는 계절이 흐를수록
흐려지고 번져가는 나의 사랑에
쓰러지고 또 쓰러지는 밤을 반복했다

짙은 밤을 흰 눈으로 적셨을 때의
그 자그마한 순간들

난 당신과 나눈 감정들을
그 계절을
사랑했다

내가 사랑한 것은 당신이 아닌

당신과의 계절 그 모든 순간 들이었다
나의 사랑
지우지 못해 흐려져
더는 그릴 수도 없는 나의 사랑아

내 발부터 차오르는 눈들을 밟으며
번지고 번져간 사랑의 계절들을 곱씹었다.

사무치는 고통에 몸부림치며

몸은 우리에게 큰 고통에 조짐이 보이면
스스로를 마비시킨다고 합니다

그렇군요
저는 지금 마비된 상태인 듯 합니다

차가운 병실 아래
무엇 하나 스스로 할 수 없는
구제불능의 상태

답답하고도 참혹한 심정에
마지막 잎새의 존시의 마음을 이제야 알겠네요

하루에도 몇 번씩
사랑의 악마는 내게 다가와 속삭입니다
"그냥 확 죽어버리는 거 어때"

차라리 그렇다면 편할까요
날 마비시킨 당신을 잊을 수 있을까요

그럴 리가 있을까요

겨우 죽음으로 잊힐 나의 사랑이라면
겨우 마비로 견뎌질 고통이었다면

 이 가슴은 이리 아프지 않았겠지요

아아 하늘도 무심하시지
나의 몸의 모든 감각을 끊어놓으시고는

가슴에서 나오는지
마음에서 나오는지
가늠조차 할 수 없는
이 끔찍한 고통을 그저 보고만 계시니

이 차가운 병실 아래서 깨달은 것은
이렇게까지 절실한 사랑이 있다는 것과
마비로도 견딜 수 없는 사랑의 고통이 있다는 것입니다

그러나
이런 아픔으로나마
당신을 만지고 느낄 수 있다면

몇 번이고 마비되고 쓰러져고 괜찮을
나의 어리석은 마음입니다

맞습니다
사랑입니다

몇 번을 마비되고
가슴에 대못이 박히는 고통을 겪더라도
평생을 사랑할 그대여

사무치는 아픔에
그대를 보냅니다.

불행의 계절

언제었던기
문득 바다를 보고 싶었던 날이 잇었다

아무도 없는 텅 빈 바닷가
고운 모래들 중
내 사랑 하나 찾는 그런 일

하염없이 뒤적이는 모래들 속
손에서 흐르는 피를 보고는
드디어 찾았다며 기뻐하는 일

그러다 문득 잔잔히 들려오는
바다의 노랫소리에 귀를 기울이며
모래성을 쌓아본다

세찬 바람에 요동치는 파도야
대답하듯 떠내려가는 모래성

불현듯 내리는 소나기에
나의 가슴을 내어주며
조심스레 내뱉는 한마디

당신은 내내 날 부시고 무너트리는 파도인가
그럼에도 그립고 그리워
다시금 찾게 만드는 바다인가.

바람

힘들 땐 바람을 쐽니다
그 바람이 앞에서 불어와
나의 머리카락을 모두 걷혀줄 때면
내 마음속 고민도 걷혀지는 것 같거든요

그 바람이 뒤에서 불어와
나를 더 재촉할 때면
내가 앞으로 더 나아갈 수 있을 것 같거든요.

민들레

노랗고 예쁜 꽃을 피우는 민들레야
무엇을 위해 그리 예쁜 꽃을 피우느냐

무더운 여름에도 악착같이 꽃을 피우는 민들레야
무엇이 널 그리 땀을 뻘뻘 흘리며 꽃을 피우게
하였느냐

추운 겨울에도 억척스럽게 꽃을 피우는 민들레야
무엇이 좋아서 덜덜 떨면서 꽃을 피웠느냐

이제 홀씨가 되어 날아갈 차례로다.

빛내주세요

주변이 니무 어둡다고 슬퍼하지 밀아요
당신이 촛불이 되어 주변을 밝게 빛내주세요

세상이 너무 어둡다고 낙심하지 말아요
당신이 태양이 되어 세상을 밝게 빛내주세요.

사진

기억을 걷는다
기억이란 이름의 전시회에는

내가 즐거웠던 사진이,
내가 기뻐했던 사진이,
내가 좋아했던 사진이
걸려있었다

아, 나 보기보다 행복했었네.

시간

생각해보면 나이가 들수록 나는
미래, 현재, 과거 모두 제각각에 머물러 있었고,
머물러 있는 것 같다

어릴 땐 미래에 머물러
더 먼 미래를 생각하며 시간이 얼른 가길 원했고

조금 더 컸을 땐 현재에 머물러
시간이 멈추길 원했고

그리고 다 지난 후,
지금은 과거에 머물러
시간을 돌리길 원한다.

감정

감정을 다스리십니까
감정에 휘둘리십니까

감정을 다스리는 게 옳은 것 같지만
결코 옳은 것은 없다 생각합니다

가끔은 감정에 휘둘리는 것도,
취해 보는 것도 나쁘진 않은 것 같거든요.

후회

후회란 건 나쁜 줄로민 알있는데
어떻게 보면 사람의 양심을 확인할 수 있는
가장 최고의 수단 아니었을까요

지금 와서 후회하면 뭐하냐고들 하지 마세요
후회하는 게 어딘가요
후회조차 하지 않는 사람들이 있는데.

퍼즐

멀리서 보니
이제껏 몰랐는데

가까이 보니
알겠더라고요

사람은 퍼즐이란 걸요

완성된 퍼즐 그림을 가까이 보니
한 두 조각이 없더라고요

완벽한 사람은 없다는 거겠죠?

빛

동도 채 드지 않은 새벽
어두운 방 안에 천천히 내려앉는

조금 벌어진 커튼 사이로 흘러들어오는
창 밖 어스름 푸른 빛

그저 그 한 줄기 빛만이
고요히 내 세상을 비추던 것 뿐인데

나는 어째서 그 빛에 위로 받는지

그저 잠시 그 빛이 머문 자리에
일렁이는 흔적만 쫓을 뿐인데

나는 어째서 내 우울을 저 깊이 삼켜버렸는지

아마 그 빛은

내 삶의 구원이거나
내 삶의 도피처이거나.

질투

바람 따라
별 따라
구름 따라

아무것도 모른 채 저 하늘을 헤엄치는
오색 빛 물고기들은

제 목적도 모른 채 흰 구름 타고
멀리 아주 멀리 나아가는데

머리 위 아름답게 반짝이는
눈부신 물고기 비늘에

못된 욕심을 안은 내 모습이
순간 너무 초라하고 볼품없이 비쳐

금세 얼굴을 붉히고 말았습니다

가진 것 없이 땅만 보고 걷는 나와는 달리
타고난 오색 비늘에 감싸진 채

내가 저들처럼 해맑고
아주 멀리 나아갈 수 있는
저 물고기 떼였다면

나도 저 넓은 하늘을 헤엄치고 빛낼 수 있었을까요.

한숨

끝없는 허상과 미로 속
한참을 헤매던 그 겨울

하얀 입김에 비치는
내 뿌연 앞날에
집어삼켜질 듯 하여

한 치 앞도 모르는 절벽 아래를
눈 가리고 걷던 위태로운 걸음 걸음에

괜히 모든 게 원망스러워
애먼 하늘만 빤히 바라보았다

머리칼 눈썹 위
하얀 서리조차 무거운데
어찌 아래를 보지 않을 수 있을까.

날갯짓

그대 내게 외서
한 송이의 꽃이 되고

그대 앞에 선 나는
한 마리의 나비 되고파

작고 보잘 것 없는 나지만
작은 손길이라도 닿고파

이런 마음 그대에게
전할 수만 있다면
이런 작은 날갯짓이라도 보탤테지

그대 한 송이의 꽃
난 한 마리의 나비

그대의 손과 발이 되어
온 세상을 누비고

그대가 열매를 맺을 그날까지
살아가겠지

나의 사랑
나의 숙명
나의 그대.

불안이라는 파도, 우울이라는 이름

니를 스미는 불안은

 저 먼 바다 끝에서부터
스멀스멀 기어와

마치 아주 느린 해일처럼
천천히 나를 삼킨다

어느 순간 눈 앞에 있는 그 파도는

순식간에 내 온몸을 집어삼키고
내 주변까지 먹어버린 다음

내 모든 것들을 끊임없이 빨아들인다

아무것도 없이 텅 빈 나로

사랑 한 톨도 남지 않은 나는
살아보려고 발버둥 치지만

사실 알고 있다

이미 난 너무 깊이 잠겨버려서
발버둥 쳐도 소용없단 걸.

꿈

네가 나오는 꿈을 꾸고
아침에 일어나면

네가 더 이상 내 곁에 없다는 사실에
그 꿈이 현실이 아니라는 사실에

찢어지는 내 가슴을 붙잡고
하염없이 눈물을 흘린다.

어쩔 수 없는 이별

그대가 이렇게 갑자기 떠날 줄 알았다면
그렇게 말하지 않았을 거에요
그렇게 행동하지 않았을 거에요

미안해요, 못 해줘서
오늘도 당신 사진을 바라보며
오늘도 당신 생각을 하며
오늘도 펑펑 울면서

잠에들 뿐이에요.

파도

아무리 큰 파도가 날 덮쳐와도
두렵지 않았다

아무리 큰 파도라도
나는 이겨낼 수 있었다

하지만
너라는 큰 파도가 날 덮쳐올 때
나는 저항도 하지 못하고
너에게 쓸려갔다

너라는 큰 파도가 지나간 후에는
후유증과 고통에 시달렸을 뿐이다.

귀가 얇은 사람

자식으로서 부모님께
씻을 수 없는 죄를 짓는다며,

나의 앳된 사진으로
감히 부모님의 절을 받노라면,

내가 붕대로 휘 휘 감긴 채 갇혀
입관실 이라는 차갑고도
무거운 방으로 부모님을 모신다면,

나는 그것이 싫어 생각을 고쳐먹는다

그러다 내 목 부근에 놓인 국화의 수를
되새겨보면,

그렇게 나는 생각을 고쳐먹는다.

금붕어

금붕어는 불행하다

불행했던 것도 잊고 불행하다

행복했던 것도 잊고 불행하다

정처 없이 맹물만 가르다,

가끔 사료 몇 알 주워 먹고

갇혀 사는 신세인지를 아는지
항상 바깥세상을 바라본다

금붕어가 우리 집으로 오던 날

금붕어는 감탄했었다,

바깥세상은 이렇게도 넓구나 하며

신나있었다,

호기롭게 지느러미를 파닥이고
고개를 이리저리 휘두르면서

난 그런 금붕어를
다시 가두었던 것이다

그런데도 난 때로
금붕어를 살려내는 것조차 힘들게 느껴졌다

왜 이렇게 힘이 없는지,

왜 항상 바깥만 바라보고 있는지

혹시 내게 바라는 것이라도 있는지

금붕어로 인한 근심으로
난 더욱 힘든 하루를 살아야 했다

그래서 난 결심했다
이렇게 힘든 하루를 이어갈 수는 없다고,

이렇게 살아가는 것은 너무나 괴롭다고,

그러면 차라리 금붕어를 죽이자고

그렇게 결심을 한 낮,
금붕어에게 수면제를 몇 알이고 털어놓았을 때

괜한 죄책감에 숨이 가빠졌다

겨우 금붕어 한 마리다

겨우 금붕어 한 마리가 죽는 것이다

한 마리 정도 죽어도
금방 새로 사 오면 될 뿐인
그런 가벼운 생명 하나이다

그러니 죄책감에 빠질 필요는 없다

난 최대한 침착하려고 했지만

어항 속 금붕어의 꿈틀거림을 보고

한 마리의 금붕어가 죽더라도
가슴 깊이 슬퍼할 사람이 있을지도 모른다는 생각에

다급히 수면제를 토해냈다.

인조 꽃의 착각

타인의 시를 읽을 수 없다

시 한 구덜의 구슬픈 울림은
언제나처럼 고개 숙여 울어야 했다

눈물을 이고 틔워낸 꽃말 마저
흉이 진다면 나의 이름을 붙여주시오

마지막 한 꺼풀의 저항이 다가오면

녹이 든 누군가 그 잔향을
되짚어 주리.

진공

진공에서도 눈물은 살아 흐르는가
새와 방아깨비가 어울려 우는 것은
어둡고 밝은 하늘에 그을리는 마음은

문득 떠나다 버릴 인간의
자취일지 모른다

낮의 인간, 밤의 심장

그 사이 숨 막히는 새벽을 걷는 이들에게,

사람들과 살아갈 공기가 희박하여

홀로 숨을 죽인 채 살아가는 그대에게,

흐르지 않는다 하여
맺히지 않는 것은 아니므로

내쉬는 법부터 배우기를

각설, 진공을 헤매이는 나에게.

청소부 할아버지

청소부 할아버지,

길가에 놓인 쓰레기라면
어디든 찾아와 주워 담으시는데

낡고 거멓게 그을린 손이 되시고도
오늘도 그렇게 허리 굽히시는 것은 왜요?

사람들 그것도 모르고
빗자루질은 천한 것이다 여기는데

그럼에도 할아버지,

앞에 남은 발자국만은
허리 숙여 쓸어버리지 못하는 이유는 왜요?

나도 빨리 어른이 되고 싶어

반항기인가 반란기인가
무르익은 청소년기의 실랑이인가

어른을 앞둔 채 몽미한 정체성은
낡은 시계 초침의 분주함마저 부질없다 여김에,

밀실에 갇혀 수 세는 법만을 익혀간다
죄수는 철창을 건너온 햇빛에
세상을 꿈꿀 수는 있어도
면회인들과의 만남에

세상과의 단절을 느낀다

나는 한순간이라도 어른이엇나
한순간만이라도 아이였던다

때늦은 후회와 때이른 성찰의 반복,

나는 스스로를 가두어
성숙해지리란 믿음을 손에 쥐어왔건만

나를 찾아온 이들의 속삭임엔
세상의 양면이 들어차있는데

내가 어떻게
어떻게 어른을 꿈꿀 수 있겠는가.

차라리 감정이 없었더라면

감정의 산란은
별의 폭발과도 같아서

드넓은 우주 속 만개한 어둠은,

가려지는 마음 하나 없고
널리 퍼져나간 별의 조각들은
어느 행성의 위협적인 운석조차 되지 못한다

차라리 누구라도 날 찾아 부숴줬으면,
지구를 향해 그 적임자라도 찾아봐야지

그곳 근처엔 모든 감정을 지울 수 있는
인공위성이 있다고 했어

하지만 우주에는 타고 떠날 바람이 없으니

인공위성아 돌아라
인공위성아 날아라

어느 날 나를 맞닥뜨리고
후회할 형체와 노여워할 실수 없도록
다시는 빛나지 않을 별이 되기 위해
인공위성아 날아라.

위로 중독

돌담에 기대어 한숨 불어내는 법을 알고

내리는 비에 야윈 마음 축이는 법을 알지만

명심해

돌담엔 굶주린 이끼가 기승부릴 날이 오고

하늘은 물들기 좋게 푸른색을 띠고 있으니,

동정 무서운 줄 알아

다만 사람은 이성이 아닌
감정에 지배된 동물이었다.

가정폭력

화창한 아침

아이의 머릿속엔 맴맴 찌르찌르
매미들로 난잡하다

하지만 끝내 집으로 돌아가는 아이에게

여름이 쥐어 준 것은 해진 잠자리채와
텅 빈 채집통 뿐이다

아이는 터덜터덜, 방에 숨어 운다

아버지는 그런 아이가 못마땅하다

아이는 아버지의 호통에 눈물 삼키는 법을
배워간다

어머니는 그런 아버지가 못마땅하다

아버지는 어머니와의 싸움에 화를 삼키는 법을

배우지 않는다

그러면 아버지 따라 어머니의 볼도 붉어진다

그날도 아버지는 1층 현관 앞에서
담배를 태우신다

매미는 맑은 공기를 좋아한다

나는 예전부터 매미를 잡아본 적이 없다.

잠자리

찬 가지의 휘청이는 잠자리 한 마리에도

나는 갖가지 망상을 머금는다

잠자리가 저곳에서 삭은 우애나 식힐텐가

분명 일가 속에서 모지란 취급이라도 받았겠지

그래 저 찬 가지로 날아든 것은 분명
애증의 마음을 버리기 위한 것일 테야

이제껏 상처받아온 마음은
제 혼자 파닥파닥 성을 내고

이제껏 사랑받아온 마음으로
성난 날개를 잠재우겠지

그렇게 다시 가족에게 향하는 거야

분명 찬 가지에 매달려 떨다 가는 날이 또 오겠지만

그러면서도 내심 다행이라고 생각하고

그러면서도 내심 부러움이 드는 것은

그래 저 잠자리는 수많은 눈이라도 있으니까

그래서 수많은 것들을 바라볼 수 있으니가

그러면 다시 가족에게 돌아갈 수 있는 거지.

무미건조

내 손톱은 자라날 기미가 없다

초조하고 떨릴 때의 손톱은 자라날 기미가 없다

살금살금 할아버지의 돈을 훔쳐
뽑기 기계와 사투를 벌일 때에도

남몰래 좋아한 그에게
처음 사탕을 건넸던 날에더

막연한 입시로 독서실 한켠에 기대어
골머리를 앓을 때에도

그리고 이 모든 순간의 감정을
잃어버린 지금에도,

내 손톱은,
내 손톱은 자라날 기미가 없다

그 시절 나의 손톱들을

다시금 곱씹을 때까지.

부모는 자식의 거울

우리가 처음 콩이를 분양받으러 갔던 날,

녀석은 우리가 제 부모와 자기를
떨어뜨리려 온 것도 모르고

새로운 사람이라며 신나게 우릴 반겼는데
콩이의 어미는 무언가 낌새가 어긋난 것을 느꼈는지
우리를 낯선 눈길로 쏘아보다가

우리가 콩이를 데리고 밖으로 나가는 순간에서야
어찌된 영문인지를 알아채고
경박스러운 비명과 함께 눈물을 지었다

콩이는 것도 모으고 행복한 산책을 떠났다가

우리집의 낯선 향을 마주한 순간에서야

어미의 서글픈 울음의 전의를 깨닫고
제 부모를 따라 서럽게도 우는 것이다.

을

우리가 관계를 정하는 방법은
서로에게 상처를 줘보는 것이었지

서로의 마음에 구긴 종잇장 몇 개 던져보고

어느 날 이것에 익숙해지면
종잇장 속에 잔혹한 몇 마디 조금 더 담아도 보고

또 어느 날은 안간힘을 다해
조그마한 돌멩이를 던져보기도 했었다

그리고 또 어느 날에 이 유치한
사랑놀음이 진부해지는 순간에는

서로의 마음 열어 그 속을 확인했고
그렇게 마음을 확인했을 때

누가 더 만신창이가 되었나로
갑과 을을 정했지
우린 그렇게 갑과 을을 정했다

저흰 그렇게 갑과 을을 정했어요.

겁쟁이의 유일한 용기가 빛나는 날에

아무리 쓸모없어 보일지 모르는 삶일지라도

매일이 한탄스러운 조소일 뿐일지라도

겨우 동기부여라며 던져진 사료를 집어먹고

다시금 뛰어노닐 수는 없으니

차라리 정제된 슬픔을 껴안고 살아가는 것

어느 날 나도 피어날 것이라는 믿음을 가지고

맹목적으로 새하얀 국화를 기피하는 것

그래도 이 믿음마저 무너질 수 있다며

어느 날부턴가

가족의 원망과 슬픔을 대신 받아줄
모난 나의 아름다운 사진을 몇 장 추려보는 것.

반딧불이

슬퍼하던 때가 있었다

차마 슬퍼하던 때가 있었다

유리병에 담긴 반딧불이처럼
상방의 어둠을 한 켠 한 켠 밝혀내다 보면

어느 날 아침이 찾아올 거라 믿었을 때가 있었다

하지만
유리병 속에 홀로 남았던 탓이었을까
유리병 바깥을 홀로 밝히던 탓이었을까

필사적으로 빛을 내어 보아도
선연히 메워지는 어둠에,

반딧불이가 제 발로 동굴에 갇히던 때가 있었다

그렇게 반딧불이가 새벽을 포기한 때가 있었다

그렇게 유리병 속이 잠잠해지던 날이 있었다.

제자리

손가락은 가만두어도
스스로 굽어지곤 한다

사라은 과거 반복했던 행동들이
몸에 드러난다고 하던데

내 손가락들이 자연스레 갈고리처럼 굽어지는 것은

내가 과거 항상 무언가를 놓쳐왔기 때문일까

그러다 상실의 슬픔에 못 이겨 가엾은
손가락들의 숨통을 조여왔기 때문일까

가만 생각해 보면,
세상 사람들 대부분 갈고리 두 개쯤은 달고
살아가는데

나 홀로

나는 손가락이 굽었소
이젠 떠나보내기 싫어 손가락을 굽혔소 하며

위셍를 떨고 있는 게 아닐까

어쩌면 반대로 다들
무언가를 놓치며 살아가는 게
당연하다고 생각하는 걸까?

아니면 나처럼 살아가면서도
나와는 달리
닦이지 못할 눈물인 걸 깨닫고
스스로가 머금어 살아가는 걸까

이제 와 다시 생각해보면

다들 헛손질하며 살아왔을 텐데

나는 여전히 내 구부러진 손가락을 보며

왜 그때 잡지 못했냐고

왜 나는 뭔가를 이뤄본 적 없냐고

이렇게 될 것이라면

너는 왜 굶어져 있는 것이냐고

주저앉은 채 손가락들을 나무라며

멀어져 가는 발소리에
다시금 손가락을 구부려 뜨리고 있었다.

모싱애

머나먼 여정을 떠나는 길이다

어젯밤 떠오른 샛별 하나를 찾으러 가는 길이다

광활한 우주 속 홀로 헤매어

하늘서 비라도 흘릴까
다시금 그 별의 부모가 되어주러 가는 길이다

길고 길어 메마른 땅 위로

그 별이 미처 지나오지 못한
여생이란 길을 걷는다

나는 이 길을 지나와
그 어떤 샛별의 다하지 못한 염원을 이루어야 한다

그 어떤 샛별의 염원을 이루지 못하였다
증인이 되어야 한다

그 어떤 샛별의 염원을 이루어주지 못하였다
죄인이 되어야 한다

그렇게 난 이 길에 끝에 다다라
멋쩍은 그 어떤 샛별의 어미가 되어야 한다.

유서

밀려오는 중압감에
도망치다시피 내려앉은 의자에
서걱서걱 쓸쓸한 필체로 적는다

하얀 종이 윗부분에는
나는 누구였는가
나는 쓴 인생을 어떻게 버티고 겪어왔는가를,

중간에는 내가 사랑랬던 사람을 적는다
사랑했고 사랑하고 앞으로도 사랑할 사람들

떨어지는 눈물자국에
애써 외면하고팠던 이들의 온기가
그리고 애정이 듬뿍 담겨있던 눈빛이
마음속에 서서히 번져온다

마무리도 짓지 못한 채
눈물로 뒤덮인 종이를 구기고
한 발자국 나를 찾는 사람에게로

내가 여기 있을만 하다고 알려주는
이들에게로 다가간다.

깜빡이

우리 인생의 빛이 행복이라면,
아마도 우리의 인생은 깜빡이가 아닐까 합니다

인생은 행복과 불행의 연속,
웃음과 울음의 반복,
가끔은 일이 꼬이기도,
또 가끔은 목표가 사라지기도 하는데

행복이 오는 관점에서 본다면,
행복이 올 때 인생의 빛이 나온다면
우린 깜빡이가 맞잖아요, 그죠?

바라

언젠가 너에게
나와 같은 설렘이 있기를
한 줄기 가로등 빛 아래
날아드는 꽃잎처럼

언젠가 너에게
나와 같은 뜨거움이 있기를
떨어지는 햇살에도
꼭 엮였던 두 팔처럼

언젠가 너에게
나와 같은 평온함인 있기를
흩날리는 낙엽 속에
넘어가는 책장처럼

다만 너에게는
나와 같은 시림이 없기응
뼈가 어는 추위 속에
널 안아 줄 이가 있기를.

수족관

머금다 만듯한
애매한 크기의 물방울들이
숨통을 트러 올라오는 수족관에,
반사각을 비추며
알록달록한 색을 빛내는
저 물고기들은
어떤 고민이 있을까

아마 파도 없이 사는
관상용 물고기들은
파도가 무엇인지 모르겠지
모두가 아름다운 비늘인 줄 알겠지

바다가 얼마나 넓은지,
얼마나 깊고 푸른지,
파도의 경이로움을,
휩쓸림의 아름다움을,
밤바다의 불빛의 기적을,
항해하는 목소리와

헤엄쳐 도착한 곳의 쾌감을
아마 평생을 모르겠지.

탈취제

맡기 싫은 악취를
깔끔하게 지워주는 탈취제
어찌 이리 깔끔하게 없애는지

혹시 내가 기억하고 싶지 않은
그 기억도 없애줄 수 있는지.

놓아주고자 합니다

이제는 놓아주고자 합니다
제 손에서 떠나보내는 것이 아닌
그저 놓아주고자 합니다

그동안 함께 했던 추억과 시간들
그동안 차곡차곡 쌓아왔던 신뢰들
이제는 놓아주고자 합니다

제 손에서 떠나보낸다면
완전히 그대를 잃을 것만 같아
그저 놓아주고자 합니다

자유롭게 놓아준 그대는
자유롭게 돌아와도 좋습니다
저는 놓아준 거지 떠나보낸 것이 아닙니다.

소나기

매마른 땅을 적셔주는
소나기

급하게 와서 그런지
급하게도 간다

한꺼번에 자신의 열정을 보여주듯ㅇ이
엄청난 빗줄기를 토해낸다
나도 저런 열정을 가질 수만 있다면
좋으련만.

손

투박한 손에서 자라나 아이는
투박하고 거칠다

부드러운 손에서 자라난 아이는
부드럽고 온화하다

사랑을 주는 손에서 자라난 아이는
사랑을 베풀 줄 안다

나는 투박한 손에서 자라나
어색함에 도망 다녔다
너의 사랑을.

동심

나도 어릴 적에는
과거에 가보고 싶었다
미래에 가보고 싶었다

또 하늘을 자유롭게 날아다니며
이곳저곳을 여행하고 싶다는 소망이
마음속을 가득 채워 흘러넘칠 정도였다

커가면서 소망이 커지기는커녕
점점 줄어들기 시작한다

허망 된 소망이란 것을 깨달아서
그런 것 일까

나의 소망은 나의 동심이었다.

물웅덩이

언제인가 물웅덩이에서 발에 물을
잔뜩 묻힌 채 뛰어논 적이 있었다

발도 젖고 옷에 물도 튀고
그게 뭐가 그렇게 좋다고 신난 거냐고

넌 평생 모르겠지

튀는 물 한 방울에 추억을
신난 나의 모습에 기억을
너를 향해 읊조리는 목소리에 사랑을

젖은 것은 아마 나뿐만이 아닐 거야
이것 봐 너도 온몸이 젖었잖아.

책

책에는 여러 가지 종류가 있고
사람마다 각자 취향이 있다
모두가 원하는 책들이 다르다

삶 또한 같다
혼자 다른 책을 골랐다고
외로워할 필요가 없다

너만의 책을 완성시킨다면
누군가는 분명 그 책의 완결에
함께하고자 할 것이다.

배려

그 흔한 바다를 보고서도
느끼는 생각과 감정이
사람마다 다양하다

그럼 흔하지 않은
타인의 입장은
얼마나 다양하게 다가오는지

자신의 입장뿐만 아니라
타인의 입장에서도
헤아려보려고 노력한다면

인생이 더 제밌어지지
않을까 하는 생각이 든다.

행복

행복은 절대 소소한 것에서 올 수 없습니다

여러분이 소소한 것이 행복이라 느낀다면
그건 분명 소소한 게 아니고
여러분의 인생에서 매우 소중한 것일 겁니다

행복은 절대 작은 것에서 올 수 없습니다

여러분이 작은 것이 행복이라 느낀다면
그건 분명 작은 게 아니고
여러분의 인생에서 큰 부분을 차지하고 있을 겁니다.

도끼

말이라는 도끼가
마음이라는 나무를
망설임도 없이 마구 내려찍는다

그렇게 꺽인 나무는
다시는 자라나지 못하고
그 자리에서 썩어 버린다.

정면돌파

비를 피하려 막지만 말고
비를 오히려 맞아보세요

대부분의 사람들은 막을 때
저는 맞는 거에요,

빗속에 뛰어들어서,

그리고 차박차박 빗속을 뚫고 달리는 거에요
내가 지금 비를 맞고 있는지도 모르게
앞만 보고 달리는 거에요

빗속에 뛰어드는 건 처음에나 어렵지
뛰다보면 다 젖어서
몇 방울 더 맞는다고 신경 안 쓰이거든요

그러니까 맨날 고민이나 걱정에
회피하지 말고 부딪혀보세요

부딪혀도 아무 일도 아니라는 듯이
내가 힘든 것도 모르고 앞만 보세요

한 번 부딪히고 나면
몇 번 더 부딪혀도 상관없어요.

사계절

겨울의 매서운 눈보라가
나를 덮치고 지나가면 나는 얼어서
한동안 그 자리에서 떠나지 못한다

따뜻한 봄이 찾아와 나를 서서히 녹여주면
그제야 따뜻한 봄의 손을 잡고
꽃길을 걸으며 나아간다

그 봄마저 나를 떠나가면
이번에는 여름과 만나
그 누구보다 뜨겁고 강렬하게 나아간다

여름과 헤어지고 나면
마지막으로 가을과 만나
서서히 나를 물들여간다.

소나무

한자리에 우뚝 서기까지
얼마나 많은 고난을 이겨냈을지
짐작조차 가지 않는다

시작은 누고도 모르는 땅속에서
크기를 헤아릴 수 없는
그 과정까지가 감탄을 자아낸다

고통 속에서도 덤덤히
인내하고 이겨내는
소나무가 대단하다.

인간 다트

사람은 모두
보이지 않는 표적을 달고 산다

모두 무심하게
서로의 표적을 겨냥하며,

서로를 한심하게 짝이 없다며 생각할 것이다

타인의 잘못으로 날아온 다트를 뽑으며,

그저 자신을 자책하기에 분주할
그들을 이해하지 못하며

나 또한 수백, 수천 번의
말과 행동들로
그들을 꿰뚫어 왔을 것이다

마치 정중앙에 다트를 꽂아야지
속이 시원하다는 듯이

너무 늦게 깨달아 버렸다

내가 생각한 것 보다
그들의 표적은 얇고 넓다는걸.

울음

소리내어 울지 못한 나는
울음을 삼켜버렸다

그런 나는, 소리 내어 울만큼의 자신이 없던 나는
결국,

이 일을 넘겨버렸고
이 일을 지워버렸고
이 일을 없애기로 했었다

하지만
나는 다시 이 일이 떠오를 것을 알기에
그 현실에 무너져 또 울음을 삼킨다.

회상

가벼운 생각인 줄 알았는데
볼품없는 기억인 줄만 알았는데

떠올려 보면 알 수 있더라
그게 가벼운지 무거운지,
그게 볼품 있는지 없는지

그것을 떠올렸을 때 나는 펑펑 울었다

흐느끼고, 소리 내며 애처럼 울었으니까,
가슴 안쪽 아려오는 그 추억은
나에게 가볍지만은 않았나보다
볼품없지 않았나보다.